El extraño huevo

Mary Newell DePalma

para Fr. Emmanuel Saidi

Puede consultar nuestro catálogo en
www.edicionesobelisco.com / www.picarona.net

EL EXTRAÑO HUEVO
Texto e ilustraciones de *Mary Newell DePalma*

I.ª edición: febrero de 2016

Título original: *The Strange Egg*

Traducción: *Joana Delgado*
Maquetación: *Montse Martín*
Corrección: *M.ª Ángeles Olivera*

© 2001, Mary Newell DePalma
(Reservados todos los derechos)
© 2016, Ediciones Obelisco, S. L.
(Reservados los derechos para la lengua española)

Edita: Picarona, sello infantil de Ediciones Obelisco, S. L.
Pere IV, 78 (Edif. Pedro IV) 3.ª planta, 5.ª puerta
08005 Barcelona - España
Tel. 93 309 85 25 - Fax 93 309 85 23
E-mail: picarona@picarona.net

ISBN: 978-84-16117-77-2
Depósito Legal: B-24.279-2015

Printed in India

El extraño huevo

Mary Newell DePalma

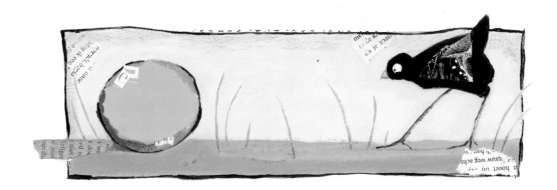

El pajarito abandonó su nido y voló alto,

por encima
de los árboles.

Y se fijó en que allá abajo había algo.

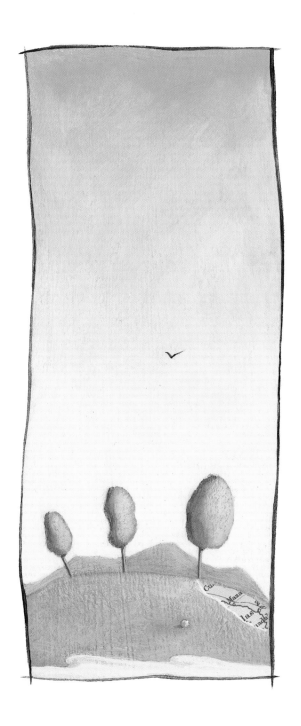

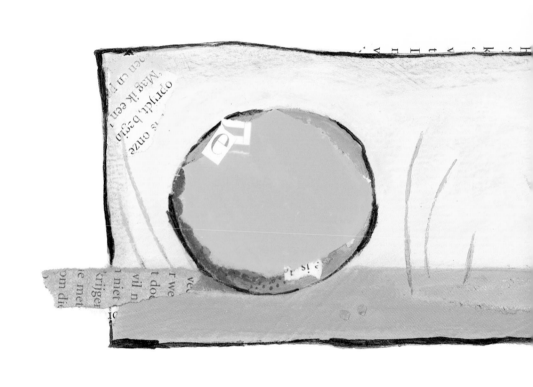

«¡Es precioso!»,
     pensó.

Lo escuchó,

y lo
sacudió
con
cuidado.

lo olió,

Lo observó,

lo picoteó,

lo pisoteó,

y, finalmente,
trinó muy fuerte
para que se despertara.

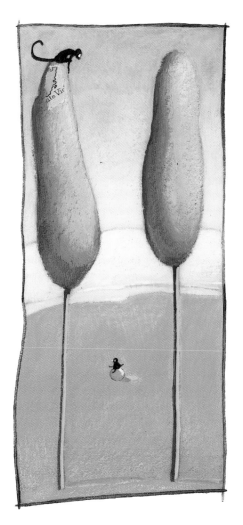

—¡Es un huevo extraño! –dedujo.

Y se sentó encima de él.

Un mono que estaba observando al pajarito

se echó a reír.

—¡Perdón! –dijo el pájaro.

—¿Es tuyo este huevo?

—Sí, es mío

–contestó el mono.

Y jugó con él.

—¡Oh, no! –gritó el pobre pajarito.

—¡No te preocupes, pajarillo tonto!

No es un huevo.

—Es una naranja.

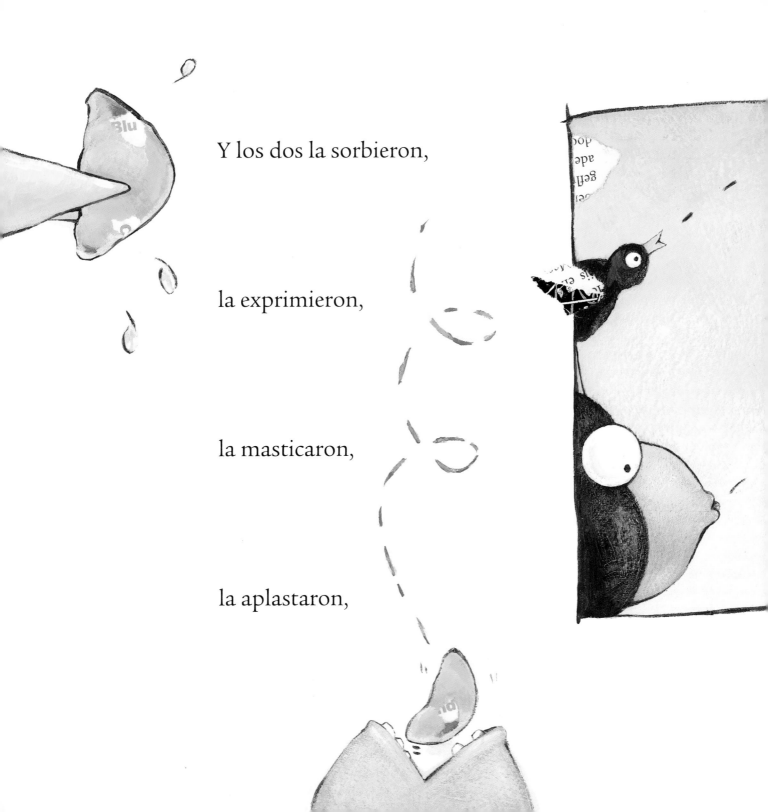

Y los dos la sorbieron,

la exprimieron,

la masticaron,

la aplastaron,

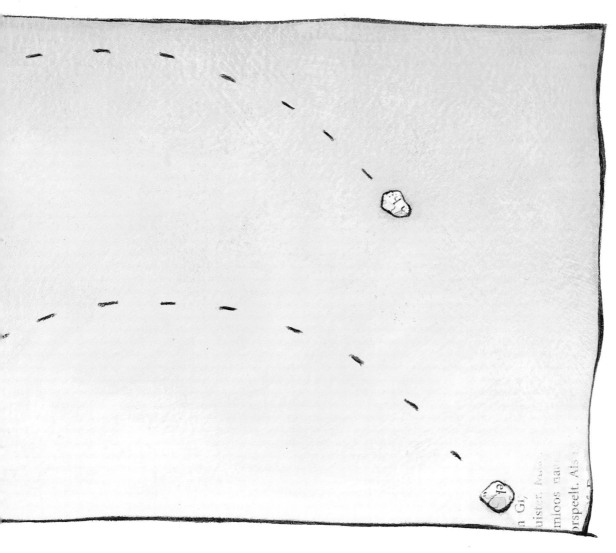

y, luego, escupieron las pepitas.

Y en un plisplás,
la naranja había desaparecido.

El mono estaba triste.

El pajarillo también lo estaba.

Pero entonces, el pajarillo vio una semilla.

La observó,

la picoteó,

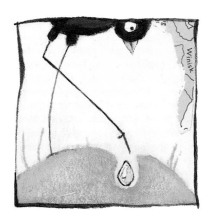

la pisoteó,

y, con
suavidad,
plaf,
plaf,

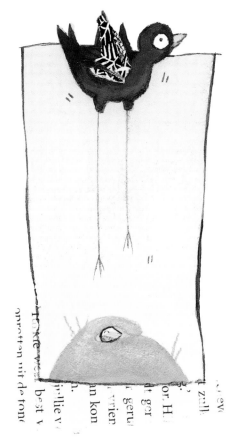

la enterró.

Juntos, el pajarito y el mono
la regaron y la vigilaron.
—¡Espera y verás!

El pajarillo y el mono se hicieron amigos

y compartieron muchas, muchas naranjas.